Christian Bieniek

Karo Karotte und das verschwundene Pony

Mit Illustrationen von
Irmgard Paule

Christian Bieniek

Christian Bieniek wurde 1956 geboren und lebte seit 1984 in Düsseldorf. Er studierte Klavier und Schlagzeug, war Gitarrist in einer Punkband und als Klavierlehrer tätig. Er verfasste Hörspiele, TV-Sketche, Radioserien. 1993 erschien sein erstes Jugendbuch IMMER COOL BLEIBEN. Seitdem schrieb er über 90 Bücher für Kinder und Jugendliche, die in 12 Sprachen übersetzt wurden. Christian Bieniek starb 2005 in Düsseldorf.

In der Edition Bücherbär bereits erschienen:
»Karo Karotte und der Club der starken Mädchen»
»Karo Karotte und die Kaugummi-Kids»
»Karo Karotte und der liebste Hund der Welt»
»Karo Karotte und der rätselhafte Dieb»
»Karo Karotte - Zoff im Club der starken Mädchen»

Irmgard Paule

Arbeitet seit dem Studium für Gestaltung als Grafikerin in der Werbebranche und ist seit 1998 als freischaffende Illustratorin für verschiedene Verlage tätig.

In neuer Rechtschreibung

5. Auflage 2005
Edition Bücherbär im Arena Verlag GmbH, Würzburg 2003

Einband und Illustrationen: Irmgard Paule
Gesamtherstellung: westermann druck, Braunschweig
ISBN 3-401-08308-2

www.arena-verlag.de

1. Kapitel

Guten Morgen, Karotte!«, begrüßt mich Tanja, als ich die Haustür öffne. »Warum machst du denn so ein finsteres Gesicht? Hast du schlecht geträumt?«
»Nein!«, brumme ich. »Träumen kann man nur, wenn man schläft. Und schlafen kann man nur, wenn niemand stundenlang schreit. Und stundenlanges Geschrei gibt es nur dann nicht, wenn man keinen kleinen Bruder hat. Und keinen kleinen Bruder gibt es nicht. Jedenfalls nicht für mich!«
»Hat Marcel eine unruhige Nacht gehabt?« Tanja stößt einen Seufzer aus. »Der arme, kleine Kerl!«
»Und was ist mit meinen armen, kleinen Ohren?«, schnaube ich wütend. »Die sind mir fast abgefallen von dem Gebrüll! Jetzt komm endlich! Wir sind schon viel zu spät dran.«
Zwei Straßen weiter empfängt uns Yildiz mit einem vorwurfsvollen Blick auf ihre Uhr.

»Warum trödelt ihr denn heute so?«, wundert sie sich. »Esther ist auch noch nicht da.«
Ich muss herzhaft gähnen, worauf Yildiz mich fragt: »Hast du verschlafen, Karo?«
»Schlafen? Was ist das?«, frage ich zurück.
Während Yildiz von Tanja erklärt bekommt, warum ich heute Nacht kaum ein Auge zugemacht habe, halte ich Ausschau nach Esther. Wo bleibt sie bloß? Ausgerechnet am vorletzten Schultag vor den Osterferien wird sie doch wohl nicht krank geworden sein.
»Wir müssen los!«, drängt Yildiz. »Herr Wetzloff kann es nicht ausstehen, wenn man unpünktlich ist. Habt ihr Lust auf eine Strafarbeit?«
Tanja und ich schütteln den Kopf und wollen uns in Bewegung setzen. Genau in diesem Moment biegt Esther um die Ecke. Als sie uns sieht, erscheint ein strahlendes Lächeln auf ihrem Gesicht.
»Guten Morgen!«, ruft sie uns fröhlich entgegen. »Ist das nicht ein wundervoller Tag?«
Tanja, Yildiz und ich sehen uns erstaunt an.
»Ein wundervoller Tag?«, wiederhole ich. »Ist dir schon

aufgefallen, dass es regnet? Und dass die Sonne gerade Verstecken spielt? Und dass die Autos heute schlimmer stinken als tausend volle Windeln von Marcel?«
Esther lacht. »Na und?«
Schwungvoll marschiert sie an uns vorbei. Tanja kratzt sich am Hals und sagt leise: »Möchte mal wissen, was die heute so in Schwung bringt!«
»Dann frag sie doch einfach!«, rate ich ihr. »Wetten, dass sie dir irgendwas vorschwindelt? Vielleicht hat sie heute Morgen im Marmeladenglas einen Diamanten ent-

deckt. Oder ihre Mutter hat ihr endlich gestanden, dass Esther die Tochter eines berühmten Filmstars ist.«

»Hm, kann schon sein«, meint Yildiz.

Jede von uns weiß, dass Esthers Phantasie manchmal keine Grenzen kennt. Dann tischt sie uns Lügen auf, ohne dabei mit der Wimper zu zucken. Nicht zu fassen, was Esther sich alles ausdenken kann! Sie wird bestimmt mal Schriftstellerin werden. Oder Betrügerin.

Als wir sie eingeholt haben, zwinkert Tanja Yildiz und mir zu. Dann erkundigt sie sich bei Esther: »Warum bist du denn heute so gut gelaunt?«

Neugierig spitze ich die Ohren. Esthers Geschichten sind zwar unglaublich, aber meistens sind sie auch unglaublich komisch.

Doch ihre Antwort auf Tanjas Frage besteht nur aus einem einzigen Wort: »Darum!«

Yildiz runzelt die Stirn. »Was soll das heißen?«

»Darum heißt darum.«

»Aha, ein Geheimnis!«, vermute ich, worauf Esther nur die Schultern zuckt und weiter vor sich hin lächelt.

Sosehr wir uns auch anstrengen – wir kriegen nichts

mehr aus ihr heraus. Weder auf dem Weg zur Schule noch in der ersten großen Pause.
In der nächsten Pause lassen wir Esther alleine über den Schulhof spazieren. Sie strahlt immer noch über beide Backen. Eigentlich müssten ihr schon längst alle Gesichtsmuskeln wehtun. Ob sie etwa schon seit Stunden einen Krampf hat und gar nicht mehr anders kann als lächeln?
»Höchst seltsam, wie sie sich benimmt«, murmelt Tanja, die Esther nicht aus den Augen lässt.
»Meine Güte!«, knurrt Yildiz. »Können wir nicht mal über was anderes reden? Zum Beispiel über Ostern?«
»Bloß nicht!«, stöhne ich. »All diese Hasen und Eier hängen mir jetzt schon zum Hals raus! Hoffentlich entdecke ich das Osternest nicht, das meine Eltern für mich verstecken werden. Wisst ihr, wer Ostern erfunden hat? Die Zahnärzte! All das süße Zeug sorgt nur dafür, dass wir uns die Zähne kaputtmachen.«
In der letzten Stunde liest uns Herr Wetzloff eine Geschichte vor. Es geht um einen Dackel, dessen Herrchen plötzlich verschwindet. Der Hund muss sich nun

ganz allein durch die Welt schlagen. Obwohl die Geschichte alles andere als lustig ist, muss Esther immer wieder grinsen. Offenbar hört sie überhaupt nicht zu. Wo ist sie bloß mit ihren Gedanken?

Nachdem der Schlussgong ertönt ist und wir uns von Herrn Wetzloff verabschiedet haben, strömt die ganze Klasse hinaus in den Flur. Im Treppenhaus werden Tanja, Yildiz und ich von Esther überholt.

»Tschüss!«, flötet sie und will sich aus dem Staub machen. Da packe ich sie ganz schnell am Arm, bleibe stehen und schaue ihr ganz fest in die Augen.

»Na los, Grinsbacke!«, dränge ich sie. »Rück jetzt endlich raus damit! Was ist los?«

Esther zögert. Tanja schaut sie ganz traurig an und sagt: »Du bist doch unsere Freundin! Seit wann erzählen wir uns nicht mehr alles?«

»Meine Mutter hat gesagt, ich soll es für mich behalten«, erwidert Esther.

»Sonst würdet ihr neidisch werden.«
»Worauf denn?«, fragt Yildiz spöttisch. »Auf das Raumschiff, das dich gestern Nacht zu einem fernen Planeten geflogen hat?«
»Nein, auf den Ponyhof Erlebeck. Übermorgen fahre ich für eine Woche zum Reiten dort hin.«
Yildiz, Tanja und ich reißen verblüfft die Augen auf.
»Ganz allein?«, fragt Yildiz.
Esther nickt. »Der Ponyhof ist in der Nähe von Münster. Den gibt es erst seit einem Monat. Na?« Sie schaut uns der Reihe nach an. »Seid ihr jetzt neidisch oder nicht?«
Tanja winkt ab. »Ach Quatsch! Hoffentlich hast du viel Spaß mit den Ponys!«

»Darauf kannst du Gift nehmen«, sagt Esther. »So, ich muss jetzt schnell weg! Meine Mutter und ich treffen uns gleich in der Altstadt. Ich brauche nämlich noch ein paar Kleinigkeiten. Reitstiefel zum Beispiel. Und eine Gerte. Tschüss!«

Und schon flitzt sie die Stufen hinab und verschwindet.

Schweigend und im Gänsemarsch, setzen meine beiden Freundinnen und ich unseren Weg fort. Erst draußen auf der Straße finden wir die Sprache wieder.

»Das war eine Lüge!«, sagt Yildiz.

»Was?«, frage ich. »Dass wir nicht neidisch sind?«

»Nein, das mit dem Ponyhof war eine Lüge!«, behauptet Yildiz. »Oder habt ihr das etwa geglaubt?«

»Hast du eine Telefonkarte?«, frage ich Yildiz.

»Ja. Wieso?«

»Ich habe die Handynummer von Esthers Mutter.«

Eine Minute später stehe ich in einer Telefonzelle, halte den Hörer ans Ohr und wähle.

»Hallo, hier ist Karo!«, melde ich mich.

»Karo?« Die Stimme von Esthers Mutter klingt richtig erschrocken. »Warum rufst du an? Ist was passiert?«

»Kann sein«, sage ich. »Stimmt es, dass Esther am Samstag für eine Woche auf einen Ponyhof fährt? Allein?«
Sie lacht. » Ja, das stimmt, Karo! Sie fährt auf den Ponyhof Erlebeck bei Münster, den wir erst gestern im Internet entdeckt haben.«
»Auf Wiederhören!«
Tanja und Yildiz starren mich gespannt an, als ich aus der Telefonzelle komme.
»Und?«, fragt Tanja.
»Sie hat nicht gelogen.«
»So ein Mist!«, schimpft Yildiz und stampft mit dem rechten Fuß auf. »Wie gemein von ihr, uns die Wahrheit zu sagen!«
»Du hast Recht!«, pflichtet Tanja ihr bei. »Warum hat sie uns nicht angelogen, so wie immer? Ich bin wahnsinnig enttäuscht von ihr. Und natürlich auch ein bisschen neidisch auf sie. Du auch, Karo?«
»Nein!«, fauche ich sie an. »Ich bin nicht nur ein bisschen neidisch. Ich könnte glatt platzen vor Neid!«

2. Kapitel

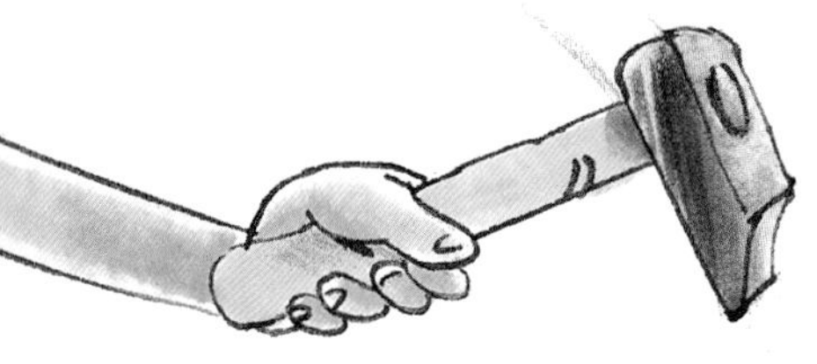

»Nein!«

»Nein!«

»Nein!«

Kein anderes Wort bekomme ich beim Mittagessen von meiner Mutter zu hören. Kann sie nicht mal was anderes sagen? Aber nein: Ständig heißt es Nein!

»Wieso denn nicht, Mutti?«, bettle ich ungerührt weiter. »Ich kann ja nach der Woche auf dem Ponyhof immer noch für ein paar Tage zu Oma fahren.«

»Nein!«

»Sollen wir mal im Internet nach dem Ponyhof suchen?«

»Nein?«

Ich lasse nicht locker. »Und warum nicht, Mutti? Vielleicht ist eine Woche Ferien dort gar nicht so teuer. Ich kann ja was von meinem Sparbuch abheben. Den Rest gebt ihr mir als Vorschuss auf mein Taschengeld für die nächsten sieben Jahre, okay?«

»Nein!«

Missmutig rühre ich in meinem Bohneneintopf herum. Er würde mir viel besser schmecken, wenn meine Mutter ab und zu mal Ja sagen würde. Dieses Wort ist gar nicht so schwer auszusprechen. Das schafft Marcel schließlich auch schon.

Er thront auf seinem Kinderstuhl, das Gesicht mit Möhrenbrei verschmiert, und kichert die ganze Zeit. Was ist so lustig daran, dass ich nicht auf den Ponyhof fahren darf? Seit zwei Monaten lese ich nichts anderes als Pferdebücher, die ich mir aus der Stadtbücherei ausleihe. Die nette Dame dort hat mir letzte Woche ein di-

ckes Lexikon empfohlen, in dem alles über Pferde steht. Alles, was man wissen muss. Das Buch finde ich noch spannender als die Romane. In denen geht es manchmal nämlich auch um Liebe und anderen Blödsinn.
»Ihr werdet es noch bereuen, dass ich zu Oma mitkommen muss«, fange ich wieder an. »Ich werde ganz schlecht gelaunt sein und von früh bis spät weinen, weil ich nicht auf den Ponyhof fahren darf. Meine Tränen werden für eine riesige Überschwemmung in Omas Wohnung sorgen. Jawohl! So wie damals, als sie in Urlaub gefahren ist, ohne den Wasserhahn über der Badewanne abzudrehen. Lass mich doch auf den Ponyhof! Bitte! Bitte! Bitte!«
»Nein!« Mit grimmiger Miene schiebe ich den letzten Löffel Bohneneintopf in meinen Mund. Vor Zorn könnte ich glatt den Löffel zerbeißen!
Nach dem Mittagessen mache ich einen Abstecher ins Badezimmer und schaue in den Spiegel. Merkwürdig, dass mein Gesicht genauso aussieht wie heute Morgen und ich noch nicht die Farbe gewechselt habe. Angeblich wird man doch grün vor Neid.

Ja, ich bin neidisch! Eine Woche Ferien auf einem Ponyhof – gibt es etwas Schöneres im Leben? Na klar: *Zwei* Wochen Ferien auf einem Ponyhof!

Den restlichen Nachmittag verbringe ich damit, auf dem Bett zu liegen und zu träumen. Ich trabe auf einem weißen Pony namens Silbermond über eine endlose Wiese. Als ich einen umgestürzten Baumstamm umreiten will, gehorcht mir Silbermond nicht. Er nimmt Anlauf und macht einen gewaltigen Sprung über den Stamm. Danach liefert er sich ein Wettrennen mit einem Rudel Kaninchen, das er natürlich gewinnt. Dann fällt er wieder in Trab. Und der ist so gemütlich, dass er mich in den Schlaf schaukelt.

»Was soll das denn mit dem Ponyhof?«

Verschlafen öffne ich die Augen. Mein Vater steht in der Tür und lächelt mich an.

»Hast du denn keine Lust, deine Oma zu besuchen?«

»Doch«, antworte ich.

»Dann ist es ja gut«, sagt mein Vater und will verschwinden.

»Aber noch mehr Lust habe ich auf die Ponys«, fahre

ich schnell fort, worauf mein Vater stehen bleibt und die Augen verdreht.

»Tut mir Leid, Karo, dafür ist im Moment kein Geld da. Und deine Ersparnisse würden auch nicht dafür reichen.«

»Hm.«

»Oma freut sich so sehr darauf, uns endlich wieder zu sehen. Wir waren doch schon seit einer Ewigkeit nicht mehr bei ihr.«

»Ich muss sofort Tanja anrufen«, verkünde ich und stehe auf. »Die wollte letztens im Religionsunterricht wissen, wie lange die Ewigkeit dauert. Jetzt kann ich es ihr sagen: vier Monate und zehn Tage lang.«

Das Gesicht meines Vaters verwandelt sich in ein großes Fragezeichen. »Wie kommst du denn darauf?«

»So lange haben wir Oma nicht mehr gesehen«, antworte ich. »Und du hast eben gesagt, das ist eine Ewigkeit.«

Lachend schüttelt er den Kopf. »Du kommst auf Ideen!«

»Ach bitte, Vati, lass mich doch auf den Ponyhof fahren!«, flehe ich ihn an. »Dann will ich auch nie mehr ein Weihnachtsgeschenk haben.«

Prompt verstummt sein Gelächter. »Na hör mal! Das

kannst du Oma doch nicht antun. Sie wäre ganz traurig, wenn du nicht mitkommen würdest. Du weißt doch, wie gern sie dich hat. Du bist ihre Lieblingsenkelin.«

»Wirklich?«

»Ja. Das liegt daran, dass sie früher genauso war wie du. Jedenfalls behauptet sie das immer.«

Ich denke kurz nach. Dann stürme ich in den Flur und greife zum Telefon.

»Schönen Gruß an Tanja!«, sagt Vater und geht in die Küche.

»Werde ich ihr bestellen«, sage ich. »Morgen in der Schule«, füge ich leise hinzu und wähle Omas Nummer.

Bereits nach dem ersten Klingeln hebt Oma ab.

»Hallo, hier ist Karo!«, melde ich mich.

»Na, mein Schatz? Wie geht es dir?«
»Nicht so gut«, gestehe ich ihr.
»Aber warum denn nicht? Welche Laus ist dir denn über die Leber gelaufen?«
»Läuse sind nicht das Problem, sondern Ponys. Und du.«
Oma schweigt ein Weilchen. »Ich verstehe kein Wort.«
»Soll ich lauter sprechen?«
»Meine Ohren sind in Ordnung, aber dein Verstand offenbar nicht. Oder warum redest du so ein wirres Zeug?«
Ich atme ganz tief durch und erzähle Oma von dem Ponyhof. Und davon, wie gerne ich eine Woche dort verbringen würde. Und von der großen Ebbe in unserer Haushaltskasse.
»Aha!«, sagt Oma, als ich fertig bin. »Ich soll nicht nur auf deinen Besuch verzichten, sondern dir auch noch die Ferien auf diesem Ponyhof bezahlen.«
»Ja, genau!«
»Und warum sollte ich das tun?«
»Weil ich du bin und du ich. Weil du auch deine Oma angerufen und ihr genau das Gleiche gesagt hättest

wie das, was ich dir eben gesagt habe. Darum bin ich ja deine Lieblingsenkelin!«

Meine Oma muss kichern. »Du bist ganz schön ausgekocht, weißt du das?«

»Was meinst du?«

»Na schön, ich spendiere dir die Ferien!«

Ich halte die Luft an, weil ich sonst den lautesten Schrei meines Lebens ausstoßen würde. Schließlich will ich nicht, dass Omas Hörgerät explodiert.

»Diesen Gefallen tue ich dir aber nur, weil ich im Januar ein paar Euro von einer entfernten Kusine geerbt habe«, sagt Oma. »Und wenn du mir versprichst, dass du mich in den Sommerferien besuchst.«

»Versprochen!«

Überschäumend vor Glück, bedanke ich mich bei ihr. Aufgeregt stolpere ich über meine eigene Zunge und komme mächtig ins Stottern. Oma versucht mich zu beruhigen, aber das schafft sie nicht. Nachdem wir uns voneinander verabschiedet haben, lege ich mit zitternden Händen auf. – Und erst dann stoße ich den lautesten Schrei meines Lebens aus.

3. Kapitel

Zwei Tage später sitze ich im Auto, vor mir meine Eltern, neben mir Marcel in seinem Kindersitz und unter mir zwei Millionen Hummeln. Ich bin so nervös, dass ich ununterbrochen hin und her rutsche.

»Schneller!«, feuere ich meinen Vater an. »Das ist eine Autobahn und keine Tiefgarage.«

»Und ich bin dein Vater und kein Pony«, erwidert er gereizt. »Darum gehorche ich dir auch nicht, wenn du mir Kommandos gibst.«

»Wir haben doch schon halb vier«, meckere ich weiter. »Ich will nicht das Abendbrot verpassen.«

»Sei doch nicht so ungeduldig, Karo!«, regt sich Mutter auf. »Du kommst früh genug auf den Ponyhof. Die Pferde laufen dir schon nicht weg.«

Noch gespannter als auf die Ponys bin ich allerdings auf Esther. Die wird Augen machen! Wenn sie mich gleich auf dem Hof auftauchen sieht, fällt sie be-

stimmt vor Überraschung in Ohnmacht. Gestern am letzten Schultag habe ich ihr nichts davon erzählt. Und Tanja und Yildiz erst recht nicht. Wenn ich ihnen verraten hätte, dass ich auch auf den Ponyhof abfahre, hätten die sich nicht mehr eingekriegt vor Neid. Nein, niemand von uns hat gestern auch nur ein einziges Wort über die Reiterferien verloren. Esther durfte wahrscheinlich deshalb nicht mehr darüber reden, weil ihre Mutter es ihr verboten hat. Tanja und Yildiz vermieden das Thema, weil es sie zu traurig machte. Die beiden sind ebenfalls seit ein paar Monaten total verrückt nach Pferden. Wetten, dass sie vorgestern auch ihre Eltern angefleht haben, auf den Reiterhof fahren zu dürfen?

»Bsgrdlnmpfgrdsl«, sagt Marcel.

»Hä?«, mache ich und sehe ihn fragend an.

»Nblmgrndslbmn.«

»Kannst du das mal übersetzen, Mutti?«

Sie lacht. »Er meint bestimmt, dass er sich auf Oma freut und es schade findet, dass du dich gleich von uns trennen musst. Er wird dich garantiert vermissen.«

»Ich ihn auch«, sage ich. »Vor allem sein nächtliches Gebrüll.«

Kurz darauf verlassen wir die Autobahn und fahren durch ein kleines Dorf. Danach kommt eine schnurgerade Landstraße. Die Felder und Wiesen rings herum sind so flach, dass man unheimlich weit sehen kann. Der Himmel ist heute strahlend blau.

»So, da vorne links müsste es sein«, sagt Vater und biegt etwa hundert Meter weiter in einen Feldweg ein. Am Ende davon erkenne ich ein Bauernhaus, einen Stall und eine Scheune. Rechts neben der Scheune stehen vier Blockhäuser auf einer Wiese.

Mein Vater hupt zweimal und die Tür des Bauernhauses wird geöffnet. Herr Erlebeck, ein stämmiger Mann mit Glatze und grauem Vollbart, kommt lächelnd auf uns zu. Ich kenne ihn von seiner Website, die mein Vater im Internet entdeckt hat. Dort hat er sich und seine Frau und seine sechs Ponys vorgestellt. Der Reiterhof ist noch unbekannt, weil er erst vor einem Monat eröffnet wurde. Darum war er auch nicht ausgebucht.
Meine Eltern und ich steigen aus und begrüßen Herrn Erlebeck. Seine Frau, die einen halben Kopf kleiner, aber mindestens doppelt so breit ist wie ihr Mann, taucht nun ebenfalls auf und schüttelt uns die Hand. Sie möchte meinen Eltern und mir gern den Hof zeigen. Meine Mutter holt Marcel aus dem Auto und nimmt ihn auf den Arm.
»Karo!« Erschrocken drehen sich alle zum Stall um. Dort steht Esther, die Hände in die Hüften gestemmt, und starrt mich so verdattert an, als hätte ich mich soeben aus einem Stein in ein Mädchen verwandelt.
»Ihr kennt euch?«, fragt Herr Erlebeck.
Esther und ich nicken im Takt.

»Was willst du denn hier?«, ruft Esther mir zu.
»Vermutlich das Gleiche wie du: reiten.«
»Reiten?« Sie zieht eine Schnute. »Du? Du kannst ja nicht mal einen Schimmel von einem Schimmelkäse unterscheiden.«
»Ich verstehe mehr von Pferden als du!«, entgegne ich heftig. »Weißt du, was eine Hufrehe ist?«
»Bloß keinen Streit!«, mischt sich Frau Erlebeck ein und wendet sich an Esther. »Wie wär's, wenn du deiner Freundin unsere Ponys zeigst?«
»Na schön«, brummt Esther, dreht uns den Rücken zu und geht in den Stall.
Nach kurzem Zögern folge ich ihr. Als wir beim ersten Pony ankommen, frage ich sie: »Bist du sauer, weil ich auch meine Ferien hier verbringe?«
»Ach Quatsch!«, knurrt sie unwirsch, um dann gleich darauf zuzugeben: »Na ja, ein bisschen schon. Ich habe mir schon ausgemalt, dass ich euch am ersten Schultag vorschwärme, wie toll es hier auf dem Reiterhof gewesen ist. Irgendwie macht es Spaß, seine besten Freundinnen zu ärgern. Ganz schön gemein, was?«

»Kann man wohl sagen.«

Sie zeigt auf das Pony. »Also das hier ist . . .«

»Lester«, sage ich schnell. »Ich habe mir die Ponys schon im Internet angesehen.«

Ich strecke die Hand aus und streichle das braune Pony, dessen lange Mähne seine Augen verdecken. Es schüttelt den Kopf und wiehert leise. »Na, du Kleiner?«

»Er ist nicht klein«, sagt Esther. »Ponys werden nun mal nicht größer. Und falls du es noch nicht gemerkt hast: Lester ist ein ausgewachsenes Shetlandpony.«

»Ach nee!«

Wir gehen weiter zu Fanny und Alina und tätscheln

ihnen den Hals. Vor dem nächsten Pony bleibe ich überrascht stehen. Es ist pechschwarz und rührt sich kein bisschen von der Stelle. Als ich die Hand ausstrecke, weicht es vor mir zurück. »Pino ist erst seit vorgestern hier«, erklärt Esther. »Frau Erlebeck meint, er ist so stolz wie ein Araberhengst.«

»Auf jeden Fall ist er genauso schön.«

»Stimmt«, sagt Esther. »Auf dem möchte ich unbedingt reiten.«

»Ich auch.«

»Huhu!«

Esther und ich zucken zusammen. Dann müssen wir grinsen. Diese Stimme kennen wir doch! Langsam drehen wir uns um. Tatsächlich: Tanja marschiert durch die Stallgasse auf uns zu.

»Ist das super hier!«, schwärmt sie, während sie begeisterte Blicke nach links und rechts auf die Ponys wirft. »Das werden bestimmt die tollsten Ferien meines Lebens! Seid ihr schon geritten?«

»Wunderst du dich gar nicht, dass ich auch hier bin?«, frage ich sie.

»Eigentlich nicht. Ich bin ja auch hier. Jetzt fehlt nur noch Yildiz, dann ist der Club der starken Pferdefans vollzählig!«
Genau in diesem Augenblick ertönt draußen vor dem Stall eine Hupe. Wir sehen uns kurz an und rennen hinaus.
Yildiz, die gerade aus dem Auto steigt, ist mindestens ebenso baff wie wir. »Karo? Tanja?« Sie kommt aus dem Staunen nicht heraus. »Das gibt's doch gar nicht!«
»Jetzt frag uns bloß nicht, was wir hier wollen«, grummelt Esther.
»Warum sollte ich das fragen?«, meint Yildiz. »Ich will hier genau das, was ihr auch wollt: mit meinen besten Freundinnen zusammen sein!«
Esther stößt mich in die Seite und seufzt: »Damit ist er gestorben.«
»Wer?«
»Der große Bericht über meine Wahnsinnsferien, mit dem ich euch am ersten Schultag neidisch machen wollte.«

4. Kapitel

Eine halbe Stunde später sind unsere Eltern verschwunden. Wir nehmen unser Gepäck und folgen Frau Erlebeck zu den vier Blockhäusern.

»Ihr wollt doch bestimmt zusammen wohnen, oder?«, fragt sie, ehe sie die Tür des linken Hauses öffnet.

»Na klar!«, antwortet Tanja.

Frau Erlebeck bittet uns hinein. Vier Betten, ein Kleiderschrank und ein Tisch mit zwei Stühlen stehen in einem Raum, der etwa so groß ist wie mein Zimmer. Außerdem gibt es in dem Häuschen noch ein Badezimmer und eine Toilette.

»Gefällt es euch, Kinder?«

»Wo ist denn der Fernseher?«, erkundigt sich Yildiz.

»Wir sind zum Reiten hier und nicht wegen der Glotze«, erklärt Esther und wirft ihre Reisetasche auf das Bett hinter dem Schrank.

»Einen Fernseher gibt es im Esszimmer«, sagt Frau Er-

lebeck. »Wie ihr wisst, gibt es unseren Hof erst seit einem Monat. Ihr seid unsere ersten Gäste. Wenn irgendetwas fehlt oder euch nicht gefällt, dann sagt es bitte sofort meinem Mann oder mir.« Sie schaut auf die Uhr. »Die anderen Gäste müssten auch bald hier sein. Ihr könnt jetzt eure Sachen auspacken und im Schrank unterbringen. Um halb sieben gibt es Abendessen.« Sie verabschiedet sich und geht hinaus.

»Nette Frau!«, sage ich, als wir alleine sind. »Ob sie reiten kann?«

»Bestimmt nicht so gut wie ich«, behauptet Esther.

»Ich hatte schon in den Sommerfreien Reitstunden. Und auch im Winter im Sauerland.«
»Ich reite immer, wenn wir in der Türkei bei meiner Tante Urlaub machen«, sagt Yildiz. »So schwer ist das gar nicht.«
»Finde ich auch«, sage ich. »Ich reite jeden Tag mindestens eine Stunde.« Meine Freundinnen drehen ihre Köpfe in meine Richtung.
»Im Ernst?«, fragt Tanja.
Ich nicke.
»Wo denn?«, will Esther wissen.
»Vor meinem Computer. Ich hab ein tolles Spiel, in dem man ein Wettspringen gewinnen muss. Am liebsten reite ich auf einem Araber. Aber ich habe auch schon viele Siege auf einem Hannoveraner geholt.«
»Vor deinem Computer!«, spottet Esther und verdreht die Augen. »Ist dabei schon mal dein Stuhl mit dir durchgegangen?«
Alle lachen, ich auch.
»So, und jetzt verteilen wir die Betten«, schlägt Tanja vor. »Wer schläft wo?«

»Moment mal!«, sagt Esther. »Was ist denn eigentlich mit *deinen* Reitkünsten, Tanja? Hast du auch schon mal auf einem Pferd gesessen?«
»Ja. Auf einem Schaukelpferd.«
Kichernd fangen wir damit an, unsere Taschen und Rucksäcke auszupacken und die Sachen im Kleiderschrank zu verstauen. Esther ist die Einzige von uns, die richtige Reitklamotten besitzt: Stiefel, Hose und Kappe. Wie ich angezogen bin, wenn ich auf ein Pony steige, ist mir völlig egal. Und dem Pony sicher auch.
Kaum haben wir uns darauf geeinigt, wer in welchem Bett schläft, macht sich Esther auf den Weg in den Stall.
»Warte!«, ruft Yildiz und heftet sich an ihre Fersen.
Ich will den beiden folgen, aber Tanja hält mich fest und sieht mich ganz merkwürdig an.
»Was ist denn?«, frage ich.
»Ich bin blöd!«, antwortet sie.
»Wieso?«
»Ich dachte, es wäre eine tolle Idee«, seufzt Tanja, »Ferien auf einem Ponyhof zu machen.«

»Ist es doch auch! Wir können eine ganze Woche reiten. Hast du etwa keine Lust dazu?«, frage ich.

»Aufs Reiten schon«, sagt sie. »Aber nicht auf die Pferde.«

»Hä?«

Tanja wendet sich von mir ab, geht zum Fenster und schaut hinaus. »Du hast doch wohl keine Angst vor Pferden, oder?« Ich sehe sie entsetzt an.

»Ich trau mich nicht mal, sie anzufassen«, gibt sie zu. «Geschweige denn, auf ihre Rücken zu steigen.«

»Und trotzdem bist du hierher gekommen?«

»Wieso trotzdem? Gerade deswegen!«, erklärt sie heftig und stampft mit dem rechten Fuß auf. »Ich dachte mir, so niedliche, kleine Ponys könnten mir kein bisschen Angst einjagen. Von wegen! Als ich vorhin im Stall war, habe ich eine richtige Gänsehaut bekommen.«

»Das gibt's doch gar nicht!«

Jemand klopft an die Tür.

»Herein!«, rufe ich.

Zwei Mädchen erscheinen auf der Bildfläche. Das eine hat lange blonde Locken und steckt in einer blauen

Jeans und einem grünen Pulli. Das andere hat glatte braune Haare, trägt eine Brille und ist so blass wie ein Schneemann.

»Hallo, Mädels!«, sagt die Blonde, wobei sie uns von oben bis unten mustert. »Ich bin Agathe. Und das ist Lisa-Marie. Wir sind aus Berlin.«

Ihre Begleiterin lächelt uns freundlich an.

»Ich bin Karotte«, sage ich. »Eigentlich heiße ich Karoline, aber . . .«

»Aber weil du so grüne Haare hast, wirst du Karotte genannt«, beendet Agathe ungeduldig den Satz. »Und wer ist das?«

»Das ist Tanja. Außerdem wohnen hier noch Esther und Yildiz, aber die sind gerade im Stall.«
»Da wollen wir auch hin«, sagt Agathe, die dreimal schneller redet als ich. »Vielleicht können wir noch vor dem Abendessen eine Runde auf den Ponys drehen. Kommt ihr mit?«
Ehe ich antworte, werfe ich einen Blick auf Tanja. Sie hat den Kopf gesenkt und knetet ihre Finger.
»Nein«, sage ich. »Wir haben noch was zu bequatschen.«
Agathe runzelt die Stirn. »Also ich quatsche lieber mit den Ponys. Komm, Lisa-Marie!«
Ihre Freundin zwinkert uns zu und macht sich dann mit Agathe auf den Weg zum Stall.
Tanja pikst mich in die Hüfte. »Warum bist du nicht mitgegangen? Du hättest mich ruhig alleine hier im Blockhaus lassen können.«
»Hätte ich nicht.«
Sie sieht mich erstaunt an. »Wieso denn nicht?«
»Weil du meine Freundin bist.«

5. Kapitel

Das Esszimmer im Bauernhaus ist sehr gemütlich. Es hat eine niedrige Decke, eine Strohtapete und einen uralten Holzboden, der bei jedem Schritt schrecklich quietscht. Stühle gibt es hier nicht. An jedem der vier runden Tische stehen zwei Bänke.
Esther wollte nicht, dass wir uns am Nebentisch von Agathe und Lisa-Marie niederlassen.
»Unmöglich, wie die sich eben im Stall aufgespielt haben!«, zischt sie mir ins Ohr. »Vor allem die Blondine! Die tut so, als wäre sie die beste Reiterin aller Zeiten.«
So kommt es, dass wir vier in der einen Ecke des Zimmers sitzen und die beiden Mädchen aus Berlin in der anderen. Immer wieder hören wir Agathe kichern. Ihre Freundin dagegen gibt kaum einen Mucks von sich. Genau wie ich. Ich bin viel zu sehr damit beschäftigt, die riesigen Spagetti um die Gabel zu wickeln und in meinen Mund zu befördern.

»Schmeckt es euch?«, fragt Herr Erlebeck, der mit einer blauen Schürze um den Bauch ins Esszimmer kommt. »Zum Nachtisch gibt's Wackelpudding.«
Alle lachen.
»Leider fehlt noch ein Feriengast, sonst würde ich jetzt eine kleine Rede halten«, fährt er fort. »Ich würde euch erklären, wie ihr die Ponys behandeln müsst.«
»Das wissen wir schon«, ruft Agathe. »Wir beide zumindest«, fügt sie mit einem mitleidigen Lächeln in unsere Richtung hinzu.
»Ihr wisst aber noch nicht, dass wir am vorletzten Tag ein Ponyspiel veranstalten wollen«, sagt Herr Erlebeck. »Natürlich nur ein ganz leichtes. Der Sieger bekommt ein silbernes Hufeisen.«
»Her damit!«, tönt die freche Agathe. »Das gewinne ich sowieso!«
Esthers Augen funkeln vor Zorn.
Genau in diesem Moment taucht Frau Erlebeck auf, zusammen mit einem langen, dünnen Jungen, der einen braunen Anzug, ein weißes Hemd und eine bunte

Krawatte trägt. Seine strohblonden Haare sind etwa halb so lang wie mein kleiner Zeh. Er dürfte älter sein als wir, vielleicht sogar schon zwölf.

»So, unser letzter Gast ist nun auch endlich eingetroffen«, verkündet Frau Erlebeck. »Darf ich vorstellen? Das hier ist . . .«

Den Namen kann ich nicht verstehen. Denn während Frau Erlebeck ihn ausspricht, bekommt der seltsame Knabe einen Hustenanfall.

»Alles in Ordnung?«, erkundigt sie sich besorgt.

»Ja.«

»Dann such dir einen Platz aus, mein Junge. Ich bringe dir deine Spagetti.«

»Vielen Dank!«, sagt er, wobei er sogar eine leichte Verbeugung macht.

Danach steuert er auf einen der freien Tische zu und lässt sich an ihm nieder.

»Sind das deine Reitklamotten?«, spottet Agathe. »Oder willst du heute Abend noch in die Oper?«

Der Junge fährt sich mit der rechten Hand über die blonden Stoppeln und schaut zum Fenster hinaus, obwohl es draußen kaum noch was zu sehen gibt. Es ist nämlich schon dunkel geworden, und rund um den Bauernhof gibt es natürlich nicht so viele Laternen wie auf der Königsallee in Düsseldorf.

Kurz darauf bekommt der Junge sein Essen serviert. Kaum hat er zu Löffel und Gabel gegriffen, fangen alle an zu tuscheln.

»Seltsamer Knabe!«, flüstert mir Tanja ins Ohr.

»Wieso?«, frage ich ebenso leise zurück. »Weil er seine Spagetti so isst, wie man sie eigentlich essen sollte?«

Die Gafferei und das Getuschel nehmen kein Ende. Inzwischen ist der Junge knallrot angelaufen. Ich stelle mir vor, ich würde als einziges Mädchen hier im Esszimmer sitzen, umzingelt von einer Horde Jungs, die mich so neugierig anstarren, als wäre ich gerade vom Mond auf die Erde gefallen.
Kurz entschlossen packe ich meinen Teller und mein Glas, stehe auf und setze mich dem Jungen gegenüber.
Mit einem Schlag wird es mucksmäuschenstill im Raum. Zu hören sind nur die Geräusche, die der Junge mit seinem Besteck macht. Hat er schon bemerkt, dass ich meinen Platz gewechselt habe? Wieso hebt er nicht den Kopf und sieht mich an?
Plötzlich kichert Agathe drauflos und brüllt: »Aha, jetzt wird's spannend!«
Ich werfe ihr einen grimmigen Blick zu. Agathe kichert noch lauter. Dann flüstert sie ihrer Freundin was ins Ohr. Die grinst anschließend von einem Ohr zum anderen.
Kopfschüttelnd greife ich nach meiner Gabel.

»Ich heiße Karoline«, stelle ich mich dem Jungen vor. »Und du?«

»Tommy.«

Das ist das Einzige, was er von sich gibt, bis Herr Erlebeck mit dem Wackelpudding erscheint.

»Sieht lecker aus«, sagt Tommy.

»Schmeckt aber bestimmt ganz ekelhaft«, behaupte ich. »Gib her, ich esse ihn für dich auf!«

»Von wegen!«

Verschüchtert lächelt er mich an. Ich lächle zurück.

»Das ist wahre Liebe!«, ruft Agathe, worauf sogar Esther, Tanja und Yildiz in ein lautes Gewieher ausbrechen.
Tommy wird wieder rot und schweigt bis zum Ende der Mahlzeit. Immerhin verabschiedet er sich von mir, ehe er aus dem Esszimmer verschwindet.
Beim Hinausgehen fragt Tanja: »Du findest den doch nicht etwa gut?«
»Na klar! Du wirst sehen, wir sind schon bald verlobt.«
Von Agathe muss ich mir auch noch ein paar dumme Sprüche anhören, auf die ich aber nicht weiter eingehe.
Im Blockhaus bitte ich meine Freundinnen, mit dem Blödsinn aufzuhören.
»Der Junge tat mir nur Leid, weil er ganz allein an seinem Tisch sitzen musste«, erkläre ich. »Lasst mich also in Ruhe mit den dämlichen Sprüchen, kapiert?«
Zum Glück halten sich alle daran. Erst drei Stunden später, als wir in unseren Betten liegen und ich das Licht ausgemacht habe, kann sich Esther nicht den

Satz verkneifen: »Du wirst sicher einen ganz süßen Traum haben, Karotte!«
»Stimmt!«, entgegne ich grimmig. »Ich werde vom Wackelpudding träumen. Schlaft gut!«
»Schön wär's!«, sagt Tanja. »Ich werde bestimmt einen Alptraum haben.«
Yildiz lacht. »Vielleicht wird dich ein supergefährliches Monsterpony im Traum heimsuchen! Das jagt dir so viel Angst ein, dass du morgen mit klappernden Zähnen und Gänsehaut aufwachen wirst.«
»Hör nicht auf diesen Quatsch, Tanja!«, sage ich. »Gute Nacht!«
Tanja bleibt stumm.

6. Kapitel

Um Agathe zu ärgern, setze ich mich am nächsten Morgen beim Frühstück wieder zu Tommy. Über Nacht ist er leider kein bisschen gesprächiger geworden. Höchst einsilbig antwortet er auf meine zwei, drei Fragen und schenkt dabei seinem Brötchen mehr Aufmerksamkeit als mir. Erst nach seinem letzten Bissen möchte er von mir wissen, wie gut ich reiten kann.

»Prima!«, antworte ich. »Ich habe sogar schon ein paar Springturniere gewonnen.«

Dass ich dabei keine Zügel in der Hand hatte, sondern nur eine Computermaus, behalte ich lieber für mich. Dabei beobachte ich Tanja genau. Kaum hat sie ihr Brötchen verdrückt, will sie aus dem Esszimmer abhauen. Ich erhebe mich schnell von der Bank und stelle mich ihr in den Weg.

»Gehst du schon in den Stall?«

Erst nickt sie, dann schüttelt sie den Kopf.
»Sondern?«, bohre ich weiter.
Sie zögert und kaut nervös auf ihrer Unterlippe herum.
»Komm mit!«, sage ich, greife nach ihrer Hand und ziehe sie hinter mir her aus dem Zimmer.
Tanja stellt keine Fragen. Sie weiß genau, wo ich mit ihr hinwill. Je näher wir dem Stall kommen, desto langsamer werden ihre Schritte. Wenn ich ihre Hand nicht so fest umklammern würde, hätte sie sich bestimmt schon losgerissen.
»Ponys sind ganz harmlose Tiere«, versuche ich sie zu beruhigen. »Eher würde dir ein alter, zahnloser Dackel an die Kehle springen, als dass dir ein Pony wehtun würde.«
Im Stall gehe ich schnurstracks auf die erste Box zu.
»Darf ich vorstellen? Das ist Lester. Und das hier ist Tanja. Willst du ihm nicht zur Begrüßung über den Kopf streichen?«
»Nein!«, schreit Tanja, worauf Lester zusammenzuckt und zurückweicht.

»Siehst du? Lester hat mindestens genauso viel Angst vor dir wie du vor ihm.«

Tanja legt ihre Stirn in Falten. »Meinst du?«

»Na klar! Darum versteckt er auch seine Augen hinter der Mähne. Dann glaubt er nämlich, er wäre unsichtbar und du könntest ihn nicht erkennen.«

Das ist natürlich Quatsch, aber ich muss mir irgendwas einfallen lassen, um Tanjas Angst vor Pferden zu bekämpfen.

»Der kleine Kerl könnte keiner Fliege was zuleide tun«, versichere ich Tanja. »Streck mal deine Hand aus.«

»Nein!«

Agathe und Lisa-Marie tauchen im Stall auf. Beide tragen Reithosen, Reitstiefel und Reitkappen.

»Ihr seid ja noch gar nicht umgezogen«, wundert sich Agathe.

»Die Pferde ziehen sich auch kein anderes Fell an, wenn sie geritten werden«, gebe ich zurück. Dann wende ich mich an Lisa-Marie. »Kann deine Freundin wirklich so toll reiten, wie sie behauptet?«

»Ja«, antwortet sie. »Agathe reitet super! Viel besser als ich.«

Agathe grinst. »Bei dem Ponyspiel braucht ihr gar nicht erst anzutreten.«

»Angeberin!«, faucht Esther, die mit Yildiz im Schlepptau auf uns zukommt. Sie trägt natürlich ihre nagelneuen Reitklamotten. Agathe schaut sie von oben bis unten an und zieht dabei eine Flappe.

»Die Sachen sehen ja aus, als hättest du sie erst vor

fünf Minuten gekauft!«, stichelt sie. »Bist du sicher, dass du schon mal auf einem Pferd gesessen hast?«
»Auf jeden Fall bin ich sicher, dass mir noch nie so ein Großmaul wie du begegnet ist!«
Daraufhin zuckt Agathe bloß die Achseln. »Ich gebe nicht an, ich sage nur die Wahrheit.«
Bevor Esther etwas Giftiges erwidern kann, ist Frau Erlebeck zusammen mit Tommy zur Stelle. Sie hat einen schwarzen Topf in der Hand.
»Ihr habt euch sicher schon alle Ponys angeschaut, oder? Es wäre schön, wenn sich nun jeder von euch ein Pony aussuchen würde, auf dem er dann die ganze Woche reitet. Das Problem ist: Wir haben sieben Feriengäste, aber nur sechs Ponys. Also müssen sich zwei Mädchen eins teilen.«
Prompt saust Tanjas rechter Zeigefinger in die Höhe. »Ich teile mir eins mit Yildiz. Natürlich nur, wenn sie damit einverstanden ist«, fügt sie hinzu.
»Kein Problem«, meint Yildiz.
»Sehr schön«, sagt Frau Erlebeck. »Als Erstes müssen wir aber herausfinden, wer von euch Pino reiten darf.«

»Ich! Ich! Ich!«, rufen alle Mädchen außer Tanja gleichzeitig und wedeln dabei mit ihren Händen vor Frau Erlebecks Gesicht herum. Mit versteinerter Miene steht Tommy neben ihr. Wetten, dass er Pino noch gar nicht gesehen hat? Sonst würde er garantiert noch lauter schreien als wir alle zusammen.
»Ruhe!«, befiehlt Frau Erlebeck. »Bei dem Krach fallen den armen Ponys ja gleich die Ohren ab!«
Wir verstummen im Nu.
»Stellt es euch nicht zu einfach vor, auf Pino zu rei-

ten«, warnt uns Frau Erlebeck. »Er kann ein echter Dickkopf sein und manchmal richtig wild werden. Pino gehorcht längst nicht so gut wie seine Stallgenossen.«

Sie zeigt auf ihren Topf und erklärt: »Hier drin sind sieben Zettel. Auf einem davon steht Pinos Name. Wer also den Zettel mit seinem Namen ...«

»Ich zuerst!«, drängt sich die freche Agathe vor, greift rasch in den Topf, holt ihn heraus und faltet ihn auseinander.

Es gibt wohl niemanden im Stall, der sich nicht über Agathes enttäuschte Miene freut. Sogar Lisa-Marie kann sich das Lächeln nicht verkneifen.

»So ein verdammter Mist!«, ärgert sich Agathe. »Los, zieh du Pino für mich!«, fordert sie ihre Freundin auf.

Lisa-Marie nimmt einen Zettel. Agathe reißt ihn ihr aus den Fingern.

»Oh nein!«, stöhnt sie. »Du hast ja auch eine Niete gezogen! Ich wollte so gern auf Pino reiten.«

»Jetzt fang nicht an zu heulen!«, brummt Esther und

greift in den Topf. »Pino kriegt diejenige, die am meisten von Pferden versteht!«
Aber leider hat Esther ebenfalls Pech. Wütend reisst sie den Zettel in kleine Stücke und stopft sich die Fetzen in die Tasche.
Als Nächstes ist Yildiz an der Reihe. Und dann Tanja. Beide ziehen Nieten. Jetzt sind nur noch Tommy und ich übrig. Er nimmt einen Zettel, entfaltet ihn und schüttelt den Kopf. Vor Freude könnte ich glatt einen Sprung an die Decke machen!
»Aha, Karoline wird Pino reiten«, stellt Frau Erlebeck fest. »Aber nimm dir trotzdem deinen Zettel. Zur Erinnerung.«
»Mach ich.«
Ich nehme den letzten Zettel. Obwohl ich weiß, was draufsteht, zittern meine Finger vor Aufregung, als ich ihn auseinander falte.
Das gibt's doch nicht: Der Zettel ist leer! Jemand hat geschwindelt, damit ich beim Loseziehen gewinne.
Tanja . . . Sie hat bestimmt den Zettel mit Pinos Na-

men aus dem Topf gefischt. Aber falls sie überhaupt auf ein Pferd steigt, dann sicher nicht auf den wilden Pino, sondern auf einen ruhigeren Stallgenossen.
Nun werden die anderen Ponys zugeteilt. Yildiz und Tanja entscheiden sich für Lester, obwohl er vom Namen her viel besser zu Esther passen würde. Die will aber lieber auf Fanny reiten. Tommy und den beiden Berlinerinnen ist völlig egal, welche Ponys sie bekommen.
»Ich gewinne trotzdem das Ponyspiel«, sagt Agathe zu mir. »Dabei ist nämlich nicht das Pferd das Wichtigste, sondern der Reiter.«
Mit diesen Worten stiefelt sie zusammen mit Lisa-Marie ans andere Ende der Stallgasse.
»Du kannst doch reiten?«, fragt mich Frau Erlebeck, ehe wir uns auf den Weg zu Pinos Box machen.
»Und wie!«, antwortet Tanja an meiner Stelle. Yildiz lächelt, während mir Esther einen grimmigen Blick zuwirft.
Pino tänzelt nervös herum, als Frau Erlebeck die Boxentür öffnet und ihn hinaus auf die Stallgasse führt.

»Weißt du, wie das mit dem Aufzäumen und Satteln funktioniert?«

»Na sicher! Das habe ich schon zigmal gemacht. Allerdings nur bei einem Computerpferd.

»Dann lasse ich dich allein und helfe den andern«, sagt Frau Erlebeck und geht zu Lesters Box.

Ein paar Minuten später ist mir klar geworden, was der Unterschied zwischen einem echten Pony und einem Computerpferd ist: Echte Ponys stehen keine Sekunde still! Weil Pino die ganze Zeit nervös hin und her wackelt, schaffe ich es einfach nicht, ihm das Zaumzeug anzulegen. Vom Sattel ganz zu schweigen! Dieses blöde Ding ist viel schwerer, als ich dachte. In den Pferdebüchern schwingen die Reiterinnen die Sättel immer so locker durch die Gegend, als bestünden sie aus Zuckerwatte. Zum Glück sind die anderen Mädchen vollauf mit ihren eigenen Ponys beschäftigt, sonst wären jetzt bestimmt ein paar dumme Sprüche fällig.

»Macht er Ärger?«, fragt Frau Erlebeck, als

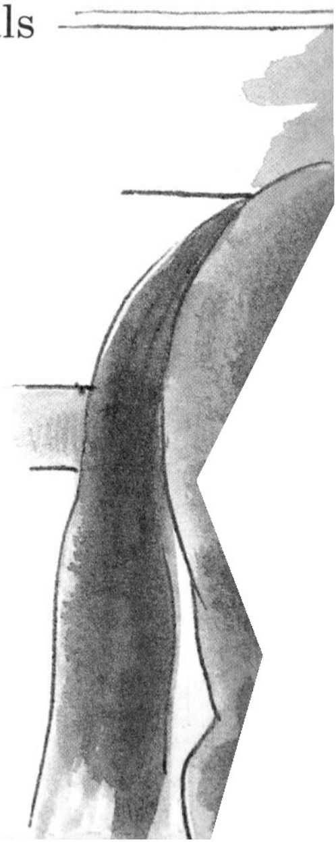

sie nach einer halben Ewigkeit wieder bei Pino und mir auftaucht. »Gib mal her!«
Sie nimmt mir den Sattel aus den Händen. Im Nu liegt er auf Pinos Rücken und wird festgeschnallt. Danach legt Frau Erlebeck ihm das Zaumzeug an. Als sie damit fertig ist, gibt sie mir die Zügel.
»Los, Abmarsch! Wir gehen raus auf den Paddock. Die anderen warten dort schon auf uns. Weißt du, was ein Paddock ist?«
»Ja: ein eingezäunter Sandplatz.«

»Genau!«

Mein Herz klopft mir bis zum Hals, als ich mich in Gang setze. In weniger als einer Minute werden Tommy und Agathe und Lisa-Marie wissen, dass ich genau so viel Ahnung vom Reiten habe wie vom Kühemelken, nämlich gar keine. Da hilft nur eins – die Wahrheit!

Also rattere ich ohne Umschweife drauflos: »Es ist so, Frau Erlebeck: Ich bin zwar schon mal geritten, aber nicht auf einem Pferd. Jedenfalls nicht auf einem richtigen. Tut mir Leid, dass ich nicht ehrlich war. Darf ich trotzdem auf Pino reiten? Und können Sie mir ein paar Tipps geben, wenn ich im Sattel sitze? Und zwar so, dass die blonde Hexe aus Berlin nichts davon mitkriegt?«

Frau Erlebeck hebt lachend die Arme in die Höhe. »Halt! Stopp! Deine Zunge kann ja schneller galoppieren als Pino. Du solltest ihr mal eine lange Pause gönnen. Dafür beantworte ich deine letzten Fragen mit Ja. Einverstanden?«

»Ja! Ja! Ja!«

7. Kapitel

Mein Hintern!

Gestern Abend im Bett tat er mir sogar weh, wenn ich auf dem Bauch lag. Bei der kleinsten Bewegung hatte ich das Gefühl, eine glühende Zange würde mir in den Po kneifen. Erstaunlich, dass ich überhaupt eingeschlafen bin!

Ob ich gleich aufstehen kann, ohne einen Schmerzensschrei auszustoßen? Der Hintern ist nicht das Einzige, was mich zwickt. Ich spüre auch meine Beine und meinen Rücken. Hätte ich doch auf Frau Erlebecks Warnung gehört, am ersten Tag nicht zu übertreiben! Nachdem sie mir den ganzen Vormittag Reitunterricht gegeben hatte, wollte ich am Nachmittag noch allein ein paar Runden auf Pino drehen. Doch aus den Runden wurden Stunden. Erst als es dunkel wurde, stieg ich vom Sattel und führte Pino zurück in den Stall.

Nein, ich konnte nicht aufhören zu reiten. Das war auch kein Wunder. Es ist einfach ein Wahnsinnsgefühl, auf Pino über die Erde zu schweben! Der richtige Sitz war gar nicht so einfach. Das muss ich wahrscheinlich noch lange üben. Die Kommandos und das Zügelführen hatte ich dagegen schnell kapiert. Nur Pino versteht noch nicht ganz genau, wie die Sache mit den Zügeln funktioniert. Zuerst macht er zwar immer das, was ich von ihm will, dann aber sucht er sich seinen eigenen Weg. Deshalb war ich auch so lange unterwegs.

Frau Erlebeck musste sich um mich keine Sorgen machen. Ich war von der Weide aus immer gut zu sehen. Die anderen waren inzwischen im Freizeitpark unterwegs.

Nur Tommy nicht. Er hatte sich den ganzen Tag im Blockhaus vergraben. Ich frage mich, wozu er seine Osterferien hier verbringt.

Als ich ihn das gestern beim Abendbrot fragte, grinste er nur. Ganz schön langweilig, mit jemandem an einem Tisch zu hocken, der seinen Mund nur zum Futtern aufmacht! Gleich beim Frühstück werde ich mich wieder zu Tanja setzen.

Damit sie nicht auf Lester reiten musste, hat Tanja gestern behauptet, eine Biene hätte sie in den Hintern gestochen. Eine Biene! Bei *meinem* Hintern habe ich das Gefühl, ein ganzer Bienenschwarm hätte all seine Stacheln in ihn gebohrt. Und trotzdem wird mich das nicht abhalten, nach dem Frühstück wieder in den Sattel zu steigen.

Ich schaue hinüber zu Tanjas Bett. Es ist nicht nur leer, sondern auch gemacht. Habe ich etwa verschlafen? Das kann nicht sein. Yildiz und Esther sind nämlich noch gar nicht aufgewacht.
Plötzlich überfällt mich ein furchtbarer Gedanke: Tanja ist abgehauen! Aus Angst vor den Pferden und vor allem aus Angst davor, dass jemand über ihre Angst lachen könnte.
Ich schwinge mich aus dem Bett. Dass ich jeden einzelnen meiner Knochen und Muskeln spüre, ist mir egal. Vielleicht kann ich Tanja noch einholen. Sie ist bestimmt einfach die Straße geradeaus gegangen, die nach Münster führt. Von dort ruft sie sicher ihre Eltern an – falls ihr unterwegs nichts Schlimmes passiert und sie heil in Münster ankommt.
Voller Panik stürme ich aus dem Blockhaus. Ich will sofort zur Straße rennen, aber in diesem Augenblick höre ich Tanjas Stimme.
»So ist es brav!«, sagt sie.
Würde sie so mit Herrn Erlebeck reden? Wohl kaum!
Neugierig betrete ich den Stall. Von Tanja ist nichts

zu sehen. Von Lester auch nicht. Höchst verdattert entdecke ich die beiden auf dem Paddock, und zwar übereinander. Unglaublich: Tanja sitzt im Sattel!
»Guten Morgen!«, begrüßt sie mich mit einem strahlenden Lächeln. »Nein, das ist kein Traum, was du vor dir siehst. Ich reite tatsächlich auf Lester! Und stell dir vor: Er hat überhaupt nichts dagegen!«
»Hast du denn – äh –, ich meine, hat er denn keine Angst vor dir?«
Tanja lacht. »Nein. Fast eine Stunde lang haben wir uns unterhalten, bevor ich ihn gesattelt habe. Das heißt, geredet hab eigentlich nur ich, und er hat mir zugehört. Pferde sind sehr schweigsame Tiere. Aber auch sehr liebe!«
Sie tätschelt seinen Hals.
Ich bin völlig baff und weiß nicht, was ich sagen soll. Doch dann fällt mir ein, dass ich mich noch gar nicht bei Tanja bedankt habe.
»Danke!«
»Wofür?«, fragt sie.
»Für Pino. Gestern bei der Auslosung hast du doch so

getan, als hättest du nicht den Zettel mit seinem Namen gezogen.«

Tanja runzelt die Stirn. »Wie kommst du denn darauf?«

»Wer soll mir denn sonst diesen Gefallen getan haben?«

»Vielleicht diese Lisa-Marie. Die ist viel netter als ihre Freundin. Und findet es sicher peinlich, dass Agathe so eine Angeberin ist?«

»Kann schon sein.«

Nachdenklich kehre ich zurück ins Blockhaus, um mich wieder auszuziehen und duschen zu gehen. Ob Tanja Recht hat mit ihrer Vermutung? Ich nehme mir vor, Lisa-Marie rundheraus zu fragen, ob sie mir Pino überlassen hat oder nicht.

Doch vor und während des Frühstücks ist natürlich Agathe ständig in ihrer Nähe. Immer wieder schaue ich von unserem Tisch aus zu Lisa-Marie hinüber. Wenn sie mich ansieht, lächle ich. Sie lächelt immer zurück.

»Warum grinst du denn so dämlich?«, knurrt Esther.

»Warum bist du denn so schlecht gelaunt?«, frage ich zurück. »Wenn du willst, kannst du nachher ruhig mal eine Viertelstunde lang auf Pino reiten.«
»Eine Viertelstunde!«, schnaubt Esther verächtlich. »Sehr großzügig von dir! Ich wette, dein geliebter Tommy darf stundenlang auf ihm reiten!«
»Halt die Klappe!«

Tommy hat gehört, dass sein Name gefallen ist, und dreht den Kopf in meine Richtung. Wahrscheinlich merkt er erst in diesem Moment, dass ich nicht an seinem Tisch sitze. Bis jetzt hat er nämlich nur auf sei-

nen Teller gestarrt. Ich zwinkere ihm zu. Er senkt schnell den Blick.
»Möchtest du mal auf Pino reiten?«, rufe ich ihm zu.
Sofort mischt sich Agathe ein. »Der kann doch gar nicht reiten! Oder hat ihn jemand von euch gestern auf einem Pferd gesehen?«
»Ja, ich!«, schwindle ich. »Er reitet besser als wir alle zusammen! Das wollte er uns nicht zeigen, damit wir nicht neidisch werden.«
»Blödsinn!«, sagt Agathe. »Niemand auf dem ganzen Hof reitet besser als ich.«
»Da irrst du dich!«, meldet sich Frau Erlebeck zu Wort, die mit einer Schale Obst ins Esszimmer kommt. »Ich könnte wie der Teufel reiten, wenn ich mich auf ein Pony setzen würde. Aber unter meinem Gewicht würde sogar ein Elefant zusammenbrechen.«

8. Kapitel

Eine Stunde später sitze ich auf Pino und trabe über den Paddock. Dass mein Hintern wehtut, ist nicht das Einzige, was mich ärgert. Noch schlimmer finde ich Agathes Gewieher, in das sie bei meinem Anblick ausgebrochen ist und das einfach kein Ende nehmen will.
»Das nennst du reiten?«, ruft sie mir schließlich zu. »Du hockst ja so steif im Sattel, als hättest du ein Bügelbrett verschluckt. Und wieso macht Pino nicht das, was du willst? Hat *er* die Zügel in der Hand oder du?«
»Komm, holen wir unsere Ponys«, sagt Lisa-Marie und zupft ihre Freundin am Ärmel. »Es fängt bestimmt bald an zu regnen.«
Kichernd folgt ihr Agathe in den Stall.
Yildiz, die zusammen mit Esther und mir auf dem Paddock reitet, meint kopfschüttelnd: »Kümmere dich nicht um ihr Geschwätz!«
»Wieso Geschwätz?«, mischt sich Esther ein. »Karo

sitzt auf Pino wie auf einem Fahrrad. Wahrscheinlich wundert sie sich darüber, dass er keine Bremsen hat.«
»Doch, die hat er!«, erwidere ich und versuche ihn zum Stehen zu bringen. Doch Pino versteht nur Bahnhof und verfällt vom Trab in leichten Galopp. Esther lacht.
»Tja, reiten will gelernt sein!«, sagt sie.
»Erzähl das Pino!«, fauche ich.

Ja, okay, ehrlicherweise muss ich zugeben, dass Esther eine gute Figur im Sattel macht. Yildiz ebenfalls. Und als kurz darauf Agathe und Lisa-Marie mit ihren Ponys auf dem Paddock auftauchen, erkenne ich sofort, dass die beiden besser reiten als ich. Aber das stachelt meinen Ehrgeiz erst richtig an. Würden nicht alle irrsinnig staunen, wenn ich das Ponyspiel gewinnen würde? Was muss ich bloß tun, damit mir Pino besser gehorcht?

Nach einer Viertelstunde wird Yildiz von Tanja abgelöst. Als sie in Lesters Sattel gestiegen ist, wirft sie einen Blick auf die dunklen Wolken am Himmel.

»Gleich wird es regnen«, sagt sie. »Hoffentlich nur kurz.«

Die ersten Tropfen lassen nicht lange auf sich warten. Zum Glück nieselt es nur. Doch plötzlich gibt es einen gewaltigen Wolkenbruch, der uns im Nu zurück in den Stall treibt.

»So ein Mist!«, ärgert sich Tanja. »Was sollen wir denn machen, wenn es den ganzen Tag schüttet?«

»Keine Angst«, beruhigt sie Herr Erlebeck, der gerade eine Box ausmistet. »Hier regnet es zwar oft, aber dafür nie sehr lang. Was haltet ihr denn von einem kleinen Tischtennisturnier drüben bei uns im Keller?«

»Gute Idee!«, antwortet Agathe. »Welchen Preis bekommt denn die Siegerin, also ich?«
Herr Erlebeck schmunzelt. »Sag mal, gibt es irgendwas, in dem du nicht unschlagbar bist?«
Agathe denkt kurz nach. »Eigentlich nicht.«
»Abwarten«, höre ich Esther hinter mir murmeln.
Nachdem ich Pino abgesattelt habe, fällt mir ein, dass Tommy vielleicht auch gerne mitspielen würde. Kurz entschlossen flitze ich hinüber in sein Blockhaus. Wegen des heftigen Regens klopfe ich nicht erst an, sondern reiße schnell die Tür auf.
Tommy, der mit einem Buch in der Hand auf einem der vier Betten sitzt, zuckt erschrocken zusammen.
»Hast du dich vertan?«, fragt er nicht besonders freundlich. »Du wohnst zwei Häuser weiter.«
»Ich weiß. Spielst du gerne Tischtennis?«
»Nein, wieso?«
»Weil gleich ein Turnier veranstaltet wird.«
»Ohne mich!«, sagt er und senkt den Blick hinab in sein Buch, um weiterzulesen.
»Ohne dich findet hier auch sonst alles statt, du Spin-

ner!«, rege ich mich auf. »Was willst du überhaupt hier? An deiner Stelle wäre ich lieber zu Hause geblieben.«

»Ich hab kein Zuhause«, erklärt er, ohne die Augen aus dem Buch zu heben.

»Seit wann?«

Er schaut auf seine Uhr. »Seit ungefähr zwei Stunden. Da haben die Möbelpacker angefangen, die Sachen aus unserem Haus zu tragen.«

»Wo zieht ihr denn hin?«

»Meine Mutter nach Leipzig und mein Vater nach Freiburg.«

»Und du?«

Er zuckt die Schultern. »Ich konnte mich nicht entscheiden. Darum muss ich nach den Ferien in ein Internat. Und darum bin ich auch hier auf dem Hof. Meine Eltern wollten nicht, dass ich beim Umzug dabei bin.«

»Aha.«

Er klappt das Buch zu und wirft es aufs Kopfkissen. »Eigentlich wollte ich auf einen richtigen Reiterhof, also auf einen mit großen Pferden«, fährt er fort.

»Aber da war nichts mehr frei. Deshalb haben meine Eltern mich hierher geschickt.«

Ein trauriges Lächeln erscheint auf seinem Gesicht. Ich weiß nicht, was ich sagen soll. Er anscheinend auch nicht. Schweigend kratzt er sich am Hals. Dann steht er auf, geht zum Fenster und sieht hinaus in den Regen.

»Warum lassen sich deine Eltern denn scheiden?«, frage ich ihn.

»Warum nicht? Fast alle Eltern meiner Freunde sind geschieden.«

In diesem Moment klopft jemand an die Tür. »Thorben-Manfred! Telefon!«

»Hä?«, mache ich verblüfft. »Thorben-Manfred?«

»Behalt das bloß für dich!«, bittet er mich. »Ich habe ja auch keinem verraten, dass du nicht den Zettel mit Pinos Namen gezogen hast.«

Jetzt bin ich baff. »Du hast also eigentlich das Loseziehen gewonnen?«

Er nickt.

»Und wieso hast du mir Pino überlassen?«, will ich von ihm wissen.

»Weil du so nett warst, dich an meinen Tisch zu setzen.«

»Ich dachte, das hat dich geärgert«, sage ich.

»Das sah nur so aus.«

»Thorben-Manfred!«, ruft Frau Erlebeck ungeduldig und klopft wieder an die Tür. »Deine Mutter ist am Telefon. Beeil dich!«

Ehe er die Tür öffnet, zwinkert er mir zu.

9. Kapitel

Beim Mittagessen setze ich mich wieder neben Tommy. Klar, das sorgt natürlich wieder für jede Menge Getuschel an den Nachbartischen. Aber noch schlimmer wird es, als wir zwei Stunden später unsere Ponys satteln und gemeinsam den Stall verlassen. Tommy zieht Oscar hinter sich her und ich Pino.
»Wo wollt ihr denn hin, ihr beiden Turteltäubchen?«, kreischt Agathe. »Ihr braucht euch nicht zu verstecken, wenn ihr euch küssen möchtet!«
»Vielleicht wollen sie sich gar nicht küssen, sondern heiraten«, sagt Esther. »Nimm mich mit, Karo! Du brauchst doch eine Trauzeugin!«
Ob Esther immer noch sauer auf mich ist, weil ich das Loseziehen um Pino gewonnen habe? Anders kann ich mir nicht erklären, dass sie so einen Quatsch redet.
Weder Tommy noch ich kümmern uns um das Geschwätz, sondern steuern auf das kleine Wäldchen zu.

Er will mir Reitunterricht geben. Und zwar auf der Wiese hinter dem Wäldchen, weil wir dort nicht beobachtet werden möchten.
Zum Glück ist das Wetter besser geworden. Am Himmel sind kaum noch Wolken zu sehen. Heute ist Montag. Bis zum Ponyspiel am Freitag sind noch ein paar Tage Zeit. Wenn mir Tommy hilft, mich zu verbessern, kann ich das silberne Hufeisen gewinnen. Fragt sich bloß, ob er überhaupt Ahnung hat von Pferden. Bisher habe ich ihn noch nie im Sattel gesehen.
Als wir auf der Wiese ankommen, nimmt Tommy mir Pinos Zügel aus der Hand und gibt mir die von Oscar. Danach steigt er auf das schwarze Pony und reitet, erst im Schritt, dann im Trab und schließlich im Galopp. In einem Höllentempo jagt er bis ans Ende der Wiese und wieder zurück. Dabei sitzt er so lässig im Sattel, als hätte er ein Spielzeugpferd unter sich.
»Er braucht deutlichere Befehle«, sagt er, nachdem er abgesessen ist. »Wahrscheinlich willst du genauso nett zu ihm sein wie zu mir.«
»Wie meinst du das?«

»Dass du zu locker mit den Zügeln umgehst. Pino reagiert nur, wenn du sie ganz straff anziehst und auch entsprechende Schenkelhilfen gibst.«
»Schenkelhilfen?«, wiederhole ich.
Er holt ganz tief Luft und erklärt mir dann genau, worauf es beim Reiten ankommt. Sein Vortrag nimmt gar kein Ende. Ehrlich gesagt, verstehe ich nur die Hälfte von dem, was er sagt. Er benutzt nämlich Ausdrücke, die ich noch nie gehört habe. Mehr als einmal würde ich ihn gern unterbrechen und eine Frage stellen. Doch er ist so sehr in Fahrt, dass er gar nicht merkt, wie wenig ich ihm folgen kann.
Irgendwann unterbricht er sich mitten im Satz und durchbohrt mich mit einem fragenden Blick. »Du hast keinen Schimmer, wovon ich rede, oder?«
»Doch.«
»Was habe ich denn gesagt?«
»Viel«, antworte ich. »Sehr viel.«
Er lacht. »Na schön, dann wiederhole ich alles noch mal in Zeitlupe. Oder willst du lieber aufs Pferd steigen und hören, was du alles falsch machst?«

»Mache ich denn auch irgendwas richtig?«, frage ich zurück.
»Ja. Du drehst Pinos Kopf nicht den Rücken zu. Und du hältst nicht statt der Zügel den Schweif in den Fingern.«
Enttäuscht ziehe ich eine Flappe.
»Aha, ich kann überhaupt nicht reiten. Agathe hat also Recht.«
»Stimmt«, gibt er zu. »Und damit endlich mal ihr großes Mundwerk gestopft wird, musst du unbedingt das Ponyspiel gewinnen. Los, steig auf!«
Ich stoße einen tiefen Seufzer aus und klettere in Pinos Sattel . . .

Als ich ein paar Stunden später wieder absteige, habe ich was verloren: meinen Hintern. Er ist verschwunden, jawohl! Heimlich, still und leise hat er sich aus dem Staub gemacht. Jedenfalls spüre ich ihn nicht mehr. Weder beim Abendbrot noch beim Mensch-ärgere-dich-nicht mit Tanja und Yildiz. Und auch nicht, als ich im Bett liege und noch mal an alles denke, was

mir Tommy über den richtigen Sitz und die Zügel und alles andere erzählt hat.
Über seine Eltern haben wir auch gesprochen, aber nur ganz kurz. Tommy weiß wirklich nicht, bei wem er lieber wohnen würde. Er möchte auf keinen der beiden verzichten. Aber das geht natürlich nicht. Eigentlich findet er die Idee mit dem Internat gar nicht so schlecht. In den Ferien würde er abwechselnd seinen Vater und seine Mutter besuchen.
»Schläfst du, Karo?«, fragt Tanja plötzlich ganz leise.
»Nein.«
»Sei mal ehrlich: Bist du in diesen Tommy verknallt oder nicht?«
»Nein!«, antworte ich.
»Und wieso warst du den ganzen Nachmittag mit ihm zusammen?«
»Das ist eine Überraschung.«
»Für wen?«, will Tanja wissen.
»Vor allem für Agathe!«

10. Kapitel

Den Dienstag und den Mittwoch verbringe ich mit reiten, reiten und reiten. Und natürlich mit Tommy, meinem Reitlehrer. Die arme Agathe muss sich ständig neue Witze übers Küssen und über die Liebe einfallen lassen, die allerdings niemand besonders lustig findet. Nicht mal ihre Freundin Lisa-Marie.

Als wir am Donnerstag nach dem Frühstück das Bauernhaus verlassen, wird Agathe von Frau Erlebeck ins Wohnzimmer gerufen, weil ihre Mutter am Telefon ist. Diese Gelegenheit will ich nutzen, um mich zum ersten Mal ungestört mit Lisa-Marie unterhalten zu können. Ich lasse die anderen in den Stall vorangehen und stelle mich dann einfach Lisa-Marie in den Weg.

»Sag mal, wie kannst du bloß mit so einem Großmaul befreundet sein?«, frage ich sie rundheraus.

»Bin ich doch gar nicht«, widerspricht sie grinsend. »Wenn Agathe immer so wäre wie hier auf dem Pony-

hof, hätte ich mir schon längst eine andere Freundin gesucht.«

»Wie ist sie denn sonst?«

»Stumm wie ein Fisch. Du müsstest sie mal zu Hause erleben«, sagt Lisa-Marie. »Ihre Eltern sind total spießig und verbieten ihr so ziemlich alles, was man verbieten kann. Bei denen zu Hause wird so leise geredet, dass man nur jedes zweite Wort verstehen kann. Falls überhaupt geredet wird. Ihre Mutter ist die schweigsamste Gräfin, die ich je kennen gelernt habe.«

»Ihre Mutter ist eine Gräfin?«, staune ich.

Lisa-Marie nickt. »Und ihr Vater ist ein echter Graf. Frag mich nicht, wie er heißt. Sein Name ist länger als die Straße nach Münster.« Sie schaut vorsichtig zum Bauernhaus hinüber. »Sag bitte niemandem, dass sie eine Adelige ist, okay? Sie will hier ein ganz normales Mädchen sein. Die Erlebecks dürfen auch nichts davon verraten.«

»Hm. Aber ich verstehe trotzdem nicht, warum sie hier so ein freches Mundwerk . . .«

»Das gibt's doch gar nicht!«, schreit plötzlich Tanja aus dem Stall. »Pino ist weg!«

Nach einer Schrecksekunde, in der ich völlig gelähmt bin, renne ich los in den Stall, verfolgt von Lisa-Marie. Tanja und Yildiz stehen vor seiner leeren Box.

»Auf dem Paddock ist er auch nicht«, sagt Yildiz. »Er muss ausgerissen sein.«

»Vielleicht ist er beim Tierarzt«, vermutet Esther, die aus Fannys Box kommt.

»Los, wir müssen sofort zu den Erlebecks!«, sage ich und sause zum Bauernhaus.

Herr Erlebeck öffnet gerade die Tür.

»Pino ist weg!«

»Wie weg?«, fragt Herr Erlebeck.

»Er ist nicht im Stall«, erkläre ich aufgeregt. »Und auch nicht auf dem Paddock.«
»Wie bitte?« Er ruft seine Frau, die zusammen mit Agathe aus dem Haus kommt, und erzählt ihr, dass Pino verschwunden ist. Frau Erlebeck hat keine Ahnung, wo er stecken könnte.
»Vielleicht ist er verliebt«, sagt Agathe, »und heute Nacht zu seiner Ponydame abgehauen.«
Herr Erlebeck wirft ihr einen finsteren Blick zu. »Jetzt ist nicht die richtige Zeit für dumme Witze.«
Agathe wird knallrot.
In mir steigt ein furchtbarer Verdacht auf. »Gib's zu!«, brülle ich Agathe an. »Du hast Pino verschwinden lassen, weil du morgen unbedingt das silberne Hufeisen gewinnen willst!«
»Blödsinn!«
»Wenn er nicht am Start ist, hast du nämlich größere Chancen.«
»Red keinen Mist!«, zischt sie.
»Ruhe!«, fährt Herr Erlebeck dazwischen. »Jetzt wird nicht gestritten, sondern gesucht. Meine Frau und ich,

wir fahren die Straße entlang. Und ihr sucht erst das Wäldchen ab und dann die Wiesen und Felder dahinter. Viel Glück!« Ehe wir uns in Gang setzen, fällt mir Tommy ein. Ich gehe zu seinem Blockhaus und klopfe an.
»Pino ist weg!«, rufe ich. »Wir gehen jetzt zum Wäldchen und suchen ihn. Kommst du mit?«
Keine Antwort.
»Blödmann!«, schimpfe ich leise und verpasse der Tür einen kräftigen Tritt.
Unterwegs halten wir nach allen Seiten die Augen offen. Von Pino ist weit und breit nichts zu sehen.
»Komisch, dass Tommy uns nicht beim Suchen hilft«, wundert sich Tanja.
»Wahrscheinlich hat er das Pferd versteckt«, sagt Agathe. »Und gleich präsentiert er es uns, damit wir ihn als großen Helden feiern. So sind Jungs nun mal.«
»Ach nee!«, brumme ich. »Und wieso kommt er dahinten angerannt?«
Tommy ist völlig außer Atem, als er bei uns ankommt.
»Tut mir Leid, ich saß auf dem Klo. Was ist los?«
Ich erkläre es ihm. Er sieht Agathe scharf an.

»Wo steckt er?«, will er von ihr wissen.
»Hier direkt vor dir!«, antwortet sie. »Ich habe mich nämlich über Nacht in Pino verwandelt. An meinem Gewieher kannst du es erkennen!«
Sie wiehert so laut, dass mir die Ohren wehtun. Ich will ihr etwas Böses sagen, aber in diesem Moment antwortet jemand auf dieses Gewieher.
»Gibt es hier ein Echo?«, fragt Yildiz leise und schaut wie wir alle gebannt zum Wäldchen hinüber.
»Ich glaube nicht«, sagt Lisa-Marie. »Aber wenn das kein Echo war . . .«
»Dann war es Pino!«, juble ich und laufe so schnell zum Wäldchen, dass mich nicht mal ein Araberhengst im gestreckten Galopp einholen könnte.
»Los, lass noch mal dein Gewieher hören!«, fordere ich

Agathe auf. »Wenn er noch mal antwortet, dann wissen wir, in welcher Richtung wir ihn suchen müssen.« Sie wiehert. Pino wiehert zurück.

»Es kam von links!«, sagt Tommy. Mit großen Schritten biegen wir in einen schmalen Waldweg ein. Das Gebüsch wird immer dichter. Agathe wiehert noch zwei-, dreimal, bekommt aber keine Antwort mehr.

»Da ist er!«, schreit Tanja plötzlich.

Hinter einer Hecke, angebunden an einen Baumstamm, steht Pino. Bei unserem Anblick lässt er ein lautes Schnauben hören. Ich bin als Erste bei ihm und falle ihm um den Hals. »Wer hat dich denn hier hinverschleppt?«, frage ich ihn kopfschüttelnd.

»Ich.« Alle Augen richten sich auf Esther, sogar die von Pino. Zwei dicke Tränen kullern über Esthers Wangen.

»Ja, ich weiß, ich bin blöd!«, murmelt sie. »Und ich bin eine Lügnerin. Ich hab meiner Mutter am Dienstag am Telefon vorgeschwindelt, dass ich schon zweimal bei den Ponyspielen gewonnen habe. Und dass wir am Freitag wieder so ein Spiel veranstalten. Da hat sie gesagt, dass sie am Freitag zuschauen kommt und dann bei ihrer Tante in Münster übernachtet. Am Samstag hätte sie mich ja sowieso abgeholt, um mich nach Hause zu bringen. Aber jetzt . . . jetzt . . .« Sie stockt und wischt sich ein paar neue Tränen von der Backe. »Jetzt werde ich bestimmt sofort nach Hause geschickt.«

»Du hast Pino versteckt, weil du dachtest, dass du ohne ihn das Ponyspiel gewinnen könntest?«, fragt Agathe. »Und was ist mit mir, hä? Eigentlich hättest du *mich* verschwinden lassen sollen. Niemand anderes als ich wird nämlich das silberne Hufeisen gewinnen.«

»Wenn die Erlebecks erfahren, dass wegen diesem blöden Ponyspiel eins ihrer Pferde entführt worden ist, dann werden sie das Spiel bestimmt absagen«, gibt Tommy zu bedenken.

»Nein, werden sie nicht!«, behaupte ich. »Wenn wir ehrlich zu ihnen sind, werden sie die ganze Sache verstehen und Esther nicht zu hart bestrafen. Was meint ihr?«

»Gute Idee!«, sagt Agathe. »Ehrlichkeit ist immer am besten. Ich bin übrigens eine Adelige und wohne in einem Wasserschloss. Meine Eltern sind echte Grafen.«

Tommy, Tanja, Yildiz und Esther kichern drauflos. Esther verschluckt sich dabei, weil sie gleichzeitig weint. »Und Lisa-Marie ist eine richtige Prinzessin«, fährt Agathe ungerührt fort. »Einer ihrer Onkel ist der König von Spanien!«

Während die anderen sich nicht mehr einkriegen vor Lachen, schaue ich Lisa-Marie fragend an. »Stimmt das?«

Sie nickt. »Willst du auch ein Geheimnis loswerden, Karo?«, erkundigt sich Agathe.

»Ja.« Im Nu verstummt das Gelächter. Alle schauen mich mit großen Augen an.

»Und was möchtest du uns verraten?«, will Yildiz wissen.

»Dass ich nicht in Tommy verliebt bin und ihn auch nicht heiraten werde.«

Jetzt wenden sich alle Blicke Tommy zu. »Ich habe keine Ahnung, von wem sie redet«, beteuert er. »Ich heiße nämlich gar nicht Tommy, sondern Thorben-Manfred.« Darauf folgt erneut wildes Gelächter.

»Jetzt will ich auch was gestehen«, meldet sich Tanja zu Wort. »Ihr werdet es nicht glauben, aber am Samstag hatte ich noch so große Angst vor Pferden, dass ich eher einen Ballen Stroh gefuttert hätte als auf einen Sattel zu steigen.«

»Das glaube ich nicht!«, sagt Agathe. »Du reitest doch gar nicht so übel.«

»Finde ich auch«, stimmt Lisa-Marie ihr zu.

»Und was ist mit dir?« Agathe hat sich an Yildiz gewandt. »Hast du auch was zu verraten?«

»Ja«, sagt Yildiz. »Bis heute Morgen fand ich die Reiterferien ziemlich langweilig. Aber jetzt finde ich es schade, dass wir uns übermorgen schon wieder trennen müssen.«

»Ihr könnt mich ja in den Sommerferien mal auf meinem Wasserschloss besuchen«, schlägt Agathe vor. »Wo wohnst du eigentlich, Torten-Manfred?«

»Thorben-Manfred heiße ich«, verbessert er sie. »Ich

habe noch keine Ahnung, wo ich nach den Osterferien wohnen werde.«
»Bei uns in Düsseldorf gibt es ein ganz tolles Internat«, sage ich. »Das hat mir jedenfalls mein Vater gestern Abend am Telefon erzählt. Soll er sich mal erkundigen, ob dort noch ein Platz für dich frei ist?«
Hat er gerade genickt oder nicht? Immerhin hat er nicht Nein gesagt. Also meint er Ja.
»Wieso Internat?«, fragt Lisa-Marie.
»Das erzähle ich euch später«, erwidert Tommy leise.
»Und was ist mit mir?« Esther zieht geräuschvoll die Nase hoch. »Seid ihr nicht wahnsinnig böse auf mich?«
»Wieso denn das?«, fragt Agathe zurück. »Wenn du Pino nicht versteckt hättest, hätten wir nicht nach ihm gesucht. Dann würden wir jetzt nicht hier rumstehen und uns anwahren.«
»Anwahren?«, wiederhole ich. »Was soll das denn heißen?«
»Das ist das Gegenteil von anlügen. Oder kennt jemand ein anderes Wort dafür?« Der Einzige, der darauf antwortet, ist Pino. Sein Wiehern klingt richtig fröhlich.

11. Kapitel

Die Erlebecks sind furchtbar! Furchtbar nett, meine ich. Sie haben nur ein ganz kleines bisschen mit Esther geschimpft. Aber sie kamen nicht auf die Idee, das Ponyspiel abzublasen. Und sie haben wahrscheinlich Esthers Mutter nichts davon verraten, dass Pino gestern einen unfreiwilligen Ausflug in das Wäldchen gemacht hat. Sonst würde sie nicht so gut gelaunt vor dem Paddockzaun stehen.
Esthers Mutter ist nicht die einzige Zuschauerin. Die Erlebecks haben noch ein paar Nachbarn und Freunde eingeladen. Einige davon haben ihre Kinder mitgebracht.
Mit so vielen Zuschauern habe ich gar nicht gerechnet.
Als ich eben mit Pino aus dem Stall kam, musste ich erst mal schlucken. Und als ich den Fuß in den Steigbügel setzte und mich auf Pinos Rücken schwang, spürte ich deutlich, wie meine Knie zitterten.
Ob die anderen genauso aufgeregt sind wie ich? Aga-

the und Lisa-Marie sitzen ganz locker auf ihren Ponys und scherzen miteinander. Seitdem ich weiß, dass die beiden adelig sind, sehe ich sie immer in langen weißen Kleidern vor mir. Tommy redet sie nur noch mit »Eure Hoheit« an.
Ja, für uns bleibt er weiter Tommy. Thorben-Manfred würde ich nicht mal eine Kopflaus nennen, wenn ich eine hätte.
Er zwinkert mir zu, als ich zu ihm hinüberschaue. Sein Pony steht neben Lester, den erst Yildiz und dann Tanja reiten werden. Unruhig rutscht Yildiz auf dem Sattel hin und her, während Tanja mit großen Schritten vor dem Zaun auf und ab marschiert.
Aber am nervösesten von allen ist Esther. Alle zehn Finger spielen mit den Zügeln. Dazu wackelt sie mit den Beinen und kaut ununterbrochen auf ihrer Unterlippe herum. Fanny dagegen ist die Ruhe selbst. Mit gesenktem Kopf steht das Pony da und lässt sich nicht weiter stören von der Zappelliese auf seinem Rücken.
Wo bleiben denn nur die Erlebecks? Wir wollen endlich wissen, welches Ponyspiel denn nun veranstaltet

wird. Ein Wettrennen? Ein Wettspringen? Ein Wettwiehern?
Als Herr und Frau Erlebeck schließlich aus dem Stall kommen, bin ich nicht die Einzige, die die Stirn runzelt. Was schleppen die beiden da an? Das sind ja Mensch-ärgere-dich-nicht-Hütchen, die ein paar Nummern zu groß geraten sind. Was solln wir denn damit? Sie anknabbern?
Doch als die Hütchen auf dem Paddock aufgestellt werden, geht uns allen ein Licht auf.
»Kannst du gut Slalom laufen?«, frage ich Pino leise.
Er schnaubt. Was das wohl in der Pferdesprache bedeutet?

»So, liebe Reiterinnen und lieber Reiter!«, ruft Herr Erlebeck uns zu. »Jeder von euch wird nun im Slalom um die Hütchen reiten. Wer an ihnen am schnellsten vorbeikommt, ohne sie zu berühren, hat gewonnen.«
»Aber versucht es ja nicht im Trab oder im Galopp«, rät uns Frau Erlebeck. »Geschicklichkeit ist wichtiger als Tempo! Wer fängt an?«
»Ich!«, meldet sich Agathe sofort.
Herr Erlebeck stellt sich an den Anfang der Hütchenschlange und seine Frau ans Ende. Sie holt eine Stoppuhr aus der Tasche und nickt ihrem Mann zu. Der zieht mit dem Fuß die Startlinie in den Sand und fordert Agathe auf, bis zur Linie zu reiten.
»Viel Glück, Eure Hoheit!«, ruft Tommy und fällt bei seiner schwungvollen Verbeugung fast aus dem Sattel.
»Sei bedankt, edler Knappe!«, erwidert Agathe mit einer eleganten Kopfbewegung.
»So, aufgepasst!« Herr Erlebeck hebt die Hand. »Achtung, fertig, los!«
Beim letzten Wort setzt sich das Pony in Bewegung. Geschickt lenkt Agathe es um die ersten drei Hüt-

chen. Das vierte jedoch wird vom rechten Vorderhuf zur Seite gekickt.
»Na toll!«, regt sich Agathe auf, als sie bei Frau Erlebeck ankommt.
»Das ist eine sehr schwere Übung«, versichert ihr Frau Erlebeck. »Die anderen werden sicher ähnliche Probleme haben wie du.«
Das stimmt. Sowohl Yildiz als auch Lisa-Marie kommen nicht fehlerfrei durch. Sogar Tommys Pony Oscar berührt die letzten beiden Hütchen, obwohl er so gut reiten kann.
Oder stimmt da irgendwas nicht? Wollen die anderen etwa unbedingt, dass Esther gewinnt, damit ihre Mutter stolz auf sie sein kann? Haben sie deshalb beim Slalom absichtlich Fehler gemacht?
Als Nächste ist Tanja dran. Kurz vor dem Start flüstert sie Lester noch was ins Ohr. Der scheint sie zu verstehen. Er berührt nämlich kein einziges Hütchen. Allerdings bewegt er sich auch wie in Zeitlupe.
»Bravo!«, ruft Frau Erlebeck am Ziel, worauf auch die Zuschauer applaudieren.

Mit knallrotem Kopf beugt sich Tanja hinab und flüstert Lester wieder etwas ins Ohr.
Nun sind Pino und ich an der Reihe.
»Willst du, dass Esther gewinnt?«, frage ich ihn.
Die Antwort darauf gibt er mir erst, als wir am dritten Hütchen ankommen. Dort bleibt er nämlich einfach wie angewurzelt stehen und rührt sich nicht mehr von der Stelle. Die Zuschauer brechen in lautes Gelächter aus. Ich versuche es mit Schnalzen, Schenkeldruck und Zügelarbeit. Ohne Erfolg.
Entnervt will ich absitzen, als Pino plötzlich drauflostrabt. Er kehrt zurück zum Start, kommt vor Herrn Erlebeck zum Stehen und reibt seine Nüstern an Erllebecks Schulter.
»Typisch Pino!«, sagt er lachend. »Der macht, was er will!«
»Leider!«, seufze ich und steige vom Sattel.
Kurz darauf richten sich alle Augen gespannt auf Esther, die als Letzte an den Start geht. Sie ist ganz blass.
»Du wirst gewinnen!«, muntere ich sie auf. »Und wenn nicht, ist es auch nicht schlimm.«
Ein schwaches Lächeln huscht über ihr Gesicht.

Herr Erlebeck gibt das Startkommando. Fanny macht einen Riesensatz nach vorn. Bis zum ersten Hütchen hat Esther das Pony wieder beruhigt. Gemächlich umkurvt es die Hindernisse.
»Du schaffst es!«, feuert Esthers Mutter ihre Tochter an.
Und sie schafft es tatsächlich – allerdings nur bis zum letzten Hütchen. Fanny ist schon fast vorbei, als sie das Hütchen mit dem linken Hinterhuf zu Fall bringt.

»Schade!«, ruft Frau Erlebeck aus. »Um ein Haar hättest du gewonnen.«
Esther winkt zwar lässig ab, aber ich kann sogar auf zwanzig Metern Entfernung erkennen, dass sie mit den Tränen kämpft.
»Die Gewinnerin heißt Tanja!«, verkündet Herr Erlebeck, worauf die Zuschauer und auch alle Reiter in donnernden Applaus ausbrechen.
Esthers Mutter klettert über den Zaun auf den Paddock und steuert auf ihre Tochter zu. Wir kommen gleichzeitig bei ihr an.
»Tja, du kannst nicht immer gewinnen, Esther!«, tröste ich sie. »Heute war mal Tanja dran.«
»Aber du warst auch sehr gut!«, sagt ihre Mutter. »Ich hätte niemals gedacht, dass du so toll reiten kannst.«
Aber da platzt Herr Erlebeck dazwischen. »Hier ist dein Preis«, sagt er zu Esther und drückt ihr ein silbernes Hufeisen in die Hand. »Herzlichen Glückwunsch!«
»Moment mal!«, sage ich verwirrt. »Esther hat doch gar nicht gewonnen.«

»Doch!«, widerspricht Herr Erlebeck. »Und du auch! Herzlichen Glückwunsch!«
Er übergibt mir ebenfalls ein silbernes Hufeisen.
»Das bekommt ihr dafür, dass ihr die besten Gäste wart, die wir je hatten«, erklärt Herr Erlebeck schmunzelnd.
»Außer uns war doch noch niemand hier«, sagt Esther.
»Stimmt!«
Kichernd entfernt sich Herr Erlebeck in Richtung Stall.
Esthers Mutter setzt noch mal an, um etwas zu sagen, aber wieder kommt was dazwischen. Diesmal sind es Tanja, Yildiz, Agathe, Lisa-Marie und Tommy.
»Herzlichen Glückwunsch!!«, sage ich zu Tanja.
»Danke!«, sagt Agathe und schwenkt ihr silbernes Hufeisen. »Ich habe gewonnen!«
»Wir auch!«, sagt Lisa-Marie und pikst ihre Freundin in die Hüfte. »Aber noch mehr als über das Hufeisen würde ich mich darüber freuen, wenn wir uns in den nächsten Ferien wieder hier treffen könnten.«

»Ja, das wäre super!«, sagt Esther und wirft ihrer Mutter einen flehenden Blick zu. »Darf ich in ein par Monaten wieder auf den Reiterhof?«
Nein, auch diesmal kommt Esthers Mutter nicht zu Wort. Denn ehe sie auch nur eine einzige Silbe sagen kann, brüllen Tanja, Yildiz, Agathe, Lisa-Marie, Tommy und ich lauthals im Chor: »JAAAAA!«

Der Bücherbär
Buntes Leseabenteuer

3-401-0**7868**-2

3-401-0**8793**-2

3-401-0**8812**-2
(ab 7)

Christian Bieniek

Karo Karotte

Karo Karotte und der Club der starken Mädchen
3-401-0**7526**-8

Karo Karotte und die Kaugummi-Kids
3-401-0**7674**-4

Karo Karotte und der geheimnisvolle Schatz
3-401-0**8573**-5

Karo Karotte - Zoff im Club der starken Mädchen
3-401-0**8226**-4

Karo Karotte und der rätselhafte Dieb
3-401-0**7989**-1

Karo Karotte und das verschwundene Pony
3-401-0**8308**-2

Jeder Band: ab 8

EDITION BÜCHERBÄR

www.arena-verlag.de